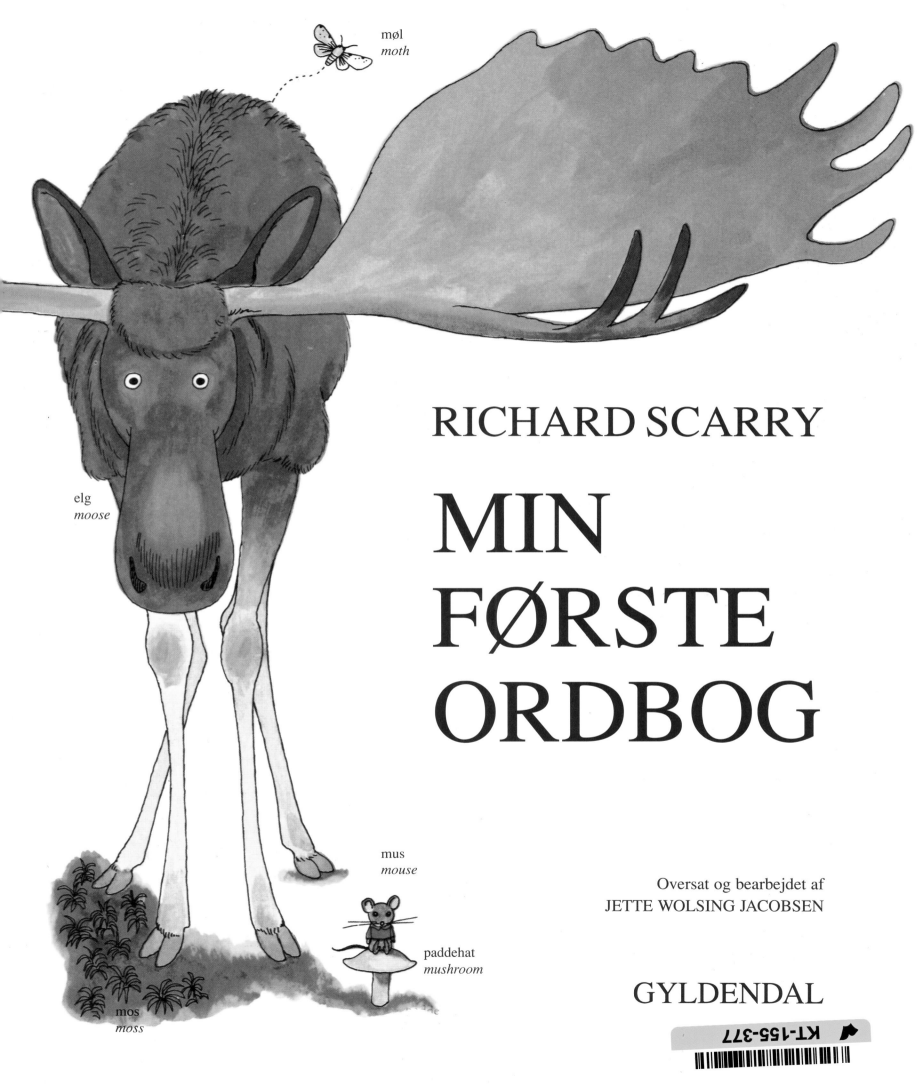

møl
moth

elg
moose

RICHARD SCARRY

MIN FØRSTE ORDBOG

mus
mouse

paddehat
mushroom

mos
moss

Oversat og bearbejdet af
JETTE WOLSING JACOBSEN

GYLDENDAL

gardiner *curtains*

sol *sun*

vindue *window*

Den nye dag

I dag skinner solen.
Lille Bjørn skynder sig at stå op.
Han er meget sulten.
Men først må han gøres i stand.

vaskeklud *face cloth*

sæbe *soap*

håndklæde *towel*

Først vasker han sit ansigt og sine hænder,
First he washes his face and hands,

tandbørste *toothbrush*

tandpasta *toothpaste*

så børster han tænder.
then he brushes his teeth.

kam *comb*

spejl *mirror*

pyjamas *pyjamas*

Han reder sit hår.
He combs his hair.

skjorte *shirt*

bukser *trousers*

Han klæder sig på.
He dresses himself.

Han reder sin seng.
He makes his bed.

Så går han ned og spiser morgenmad.
Then he is ready for breakfast.

Lille Bjørn sidder pænt på sin stol.
Little Bear sits up straight in his chair.

Han er meget sulten. Her er alt det han spiser:
He is very hungry. This is what he eats:

tomatsaft
tomato juice

havregrød
porridge

med mælk
with milk

pandekager
pancakes

med smør og sirup
with butter and syrup

Han spiser ikke
brødristeren.
*He doesn't eat
the toaster.*

spejlæg
fried eggs

bacon
bacon

ristet brød
toast

honning
honey

syltetøj
jam

varm kakao
hot cocoa

kold mælk
cool milk

og en vaffel
and a waffle

Når han er færdig med at spise morgenmad, hjælper han sin mor med at vaske op og tørre af.
When he finishes eating breakfast he helps his mother to wash and dry the dishes.

kop
cup

underkop
saucer

tallerken
plate

skål
bowl

gaffel
fork

kniv
knife

ske
spoon

glas
glass

krukke
jar

kande
jug

stegepande
frying pan

låg
lid

gryde
pot

fad
pan

flaske
bottle

citronpresser
lemon squeezer

glas
glass

Nu er han parat til at lege med sine venner.   *Now he is ready to play with his friends.*

5

På legepladsen

Her er mange forskellige ting
børnene kan lege med.
Hvad kan du bedst lide at lege?

vippe
see-saw

rutschebane
slide

springe buk
leapfrog

kolbøtte
somersault

skjul
hide-and-seek

runddans
ring-around-a-rosy

sjippe
skipping rope

stige
ladder

ringe
rings

gynge
swing

klatrestang
sliding pole

snurretop
top

rulleskøjter
roller skates

blæse sæbebobler
bubble blowing

drage
kite

karrusel
merry-go-round

klatrestativ
jungle gym

tagfat
tag

kaste ringe
tossing the ring

trille tøndebånd
hoop rolling

spille klink
play pitch and toss

kuglespil
marbles

sandkasse
sand pit

dragesnor
kite string

spille bold
bouncing ball

hinke paradis   *hopscotch*

7

hammer
hammer

søm
nail

Værktøj

Her arbejder alle dyrene med deres værktøj. Hvem har altid sit værktøj hos sig? Du kan kende ham på det røde hoved.

tegnestift
drawing-pin

økse
axe

stige
ladder

brændestykke
log

tømrer
carpenter

bræt
board

sandpapir
sandpaper

savsmuld
sawdust

nedstryger
hacksaw

drilbor
drill

skruestik
vice

skruestik
vice

høvl
plane

spætte
woodpecker

kontursav
jig saw

høvlspåner
wood shavings

skruetrækker   *screwdriver*

fil   *file*

skruer
screws

fladtang
pliers

8

sav
bowsaw

murske
trowel

murer
bricklayer

blandekasse
mortarbox

mursten
brick

murstensmur
brick wall

mørtel
mortar

tømmer
timber

maler
painter

malerpensel
paint brush

savbuk
saw horse

sejlgarnsnøgle
ball af twine

tønde
barrel

maling
paint

stift
tack

stifthammer
tack hammer

håndøkse
hatchet

lineal
ruler

tommestok
folding ruler

værktøjskasse
tool box

foldekniv
jackknife

tømrervinkel
square

spartel
putty knife

skovl
shovel

bolt
bolt

møtrik
nut

jord
earth

skruenøgle
monkey wrench

passer
compasses

trillebør   *wheelbarrow*

hakke
pick axe

lim
glue

9

vejrhane
weather vane

krage
crow

fugleskræmsel
scarecrow

mark
field

plov
plough

traktor
tractor

høloft
hayloft

lade
barn

ged
goat

stald
stall

konservesdåse
tin can

mælkejunge
milk churn

spand
pail

lastbil
truck

vogn
cart

høne
hen

hane
cock

kylling
baby chick

svinesti
pigsty

gulerødder
carrots

10

høstak *haystack*

ko *cow*

æbletræ *apple tree*

bondehus *farmhouse*

vandpumpe *water pump*

eng *meadow*

tøjsnor *clothes-line*

hegn *fence*

hest *horse*

får *sheep*

æble *apple*

græs *grass*

tøjkurv *clothes basket*

Bamsefars bondegård

Bamsefar har en dejlig bondegård. Han pløjer marken, men hvad laver bamsemor? Og hvad gør alle dyrene? Hvad skal fugleskræmslet lave? Gør han det?

hønsehus *hen coop*

FRISK HONNING OG ÆG

brønd *well*

andedam *duck pond*

and *duck*

ællinger *ducklings*

bi *bee*

høtyv *pitchfork*

bikube *beehive*

11

Legetøj

Her er mange sjove ting, man
kan lege med inden døre.
Også nogle man bruger udendørs.
Hvilke er det?

teddybjørn
teddy bear

trehjulet cykel
tricycle

elektrisk tog
electric trains

dukke
doll

klodser
blocks

lastbil og transportbånd
lorry and loader

byggesæt
building set

bjørnen taber
Bear is losing

spil
game

kaninen vinder
Rabbit is winning

borg
castle

kroket
croquet

legetøjssoldater
toy soldiers

testel
tea set

robot
robot

racerbil
racing car

skrivemaskine
typewriter

gyngehest
rocking horse

Kan du ramme?
Can you hit?

dukkehus
doll's house

bue og pil
bow and arrow

svæveflyver
glider

løbehjul
scooter

KØD

kødøkse
meat cleaver

skinke
ham

krog *hook*

sav
saw

vægt
scales

indpakningspapir *wrapping paper*

sejlgarn
twine

agurketø
pickle ba

slagter
butcher

skraldespand
dustbin

spegepølse
salami

pølser
frankfurters

hakket kød
minced meat

fisk
fish

bacon *bacon*

kotelet
chop

steg
steak

en lille gris der gerne vil
være slagter, når han bliver stor

indkøbsvogn
cart

savsmuld
sawdust

I supermarkedet

Mutter Gris er på indkøb i supermakedet.
Hun køber pølser, kartofler og jordbær.
Det er noget Peter Gris godt kan lide.
Vælg de ting, du synes, mutter Gris
skal købe i morgen.

bøger
books

GULDBØGERNE

kunde
customer

appelsinsaft
orange juice

mælk
milk

rosiner
raisins

penge
money

håndtaske
handbag

æg
eggs

kassedame
cashier

kasseapparat
cash register

yoghurt
yoghurt

smør
butter

FRUGT

ananas *pineapple*

æbler *apples*

appelsiner *oranges*

pærer *pears*

grapefrugt *grapefruit*

meloner *melons*

vindruer *grapes*

citroner *lemons*

kirsebær *cherries*

jordbær *strawberries*

hindbær *raspberries*

blåbær *bilberries*

blommer *plums*

bananer *bananas*

købmand *grocer*

vægt *scales*

GRØNSAGER

ferskner *peaches*

vandmelon *watermelon*

kokosnød *coconut*

kål *cabbage*

blomkål *cauliflower*

asparges *asparagus*

bladselleri *celery*

gulerødder *carrots*

rødbeder *beets*

roe *turnip*

majskolbe *corn*

salat *lettuce*

ærter *peas*

spinat *spinach*

agurker *cucumbers*

bønner *beans*

tomater *tomatoes*

kartofler *potatoes*

løg *onions*

kiks *biscuits*

sukker *sugar*

corn-flakes *corn-flakes*

spaghetti *spaghetti*

konserves *tinned food*

fejekost *broom*

salt *salt*

abrikoser *apricots*

babymad *baby food*

brød *bread*

jordnøddesmør *peanut butter*

syltetøj *jam*

...t ...eese

Spisetid

Mutter Gris og fatter Gris og lille Peter Gris glæder sig til al den dejlige mad. Der er så meget mad på bordet, at man næsten ikke kan se Peter. Kan du finde ham?

forskærerkniv og stegegaffel
carving knife and fork

roastbeef
roast beef

stegefad
meat dish

spiseske
tablespoon

kaffekande
coffeepot

tepotte
teapot

saltbøsse
salt castor

peberbøsse
pepper pot

gaffel
fork

flad tallerken
dinner plate

glas
glass

flødekande
cream jug

kop
cup

kniv
knife

ske
spoon

underkop
saucer

serviet
napkin

sukkerskål
sugar bowl

kalkun
turkey

kage
cake

mælkekande
milk jug

gratin
gratin

bagte kartofler
baked potatoes

grønne bønner
green beans

budding
pudding

tranebærgelé
cranberry jelly

rødbeder
beetroots

løg
onions

kartoffelmos
mashed potatoes

is   *ice cream*

ærter
peas

smør
butter

steg   *steak*

suppe   *soup*

postej   *pie*

salat
salad

rugbrød
rye bread

franskbrød
white bread

rundstykker
rolls

17

skorsten
smokestack

undervandsbåd
submarine

forstavn
bow

agterstævn
stern

oceandamper   *ocean liner*

patruljebåd   *police boat*

pram   *barge*

slæbebåd   *tug*

færge
ferry boat

sørøverskib
pirate ship

Skibe og både

Hvad er det, der flyder i vandet, som ikke er et skib,
men som hjælper skibene til at finde
den rigtige vej i mørke?

motorbåd
motor boat

kano
canoe

padleåre   *paddle*

robåd
rowing boat

kajak   *kayak*   pagaj   *double paddle*

åre   *oar*

18

fragtdamper   *freighter*

fyrskib
lightship

torpedobåd   *torpedo boat*

olietanker
oil tanker

sprøjtebåd   *fireboat*

fiskegarn
fishing nets

fiskekutter   *fishing trawler*

sportsfiskerbåd   *sport fishing-boat*

speedbåd   *speedboat*

husbåd
houseboat

tømmerflåde
raft

lystyacht   *yacht*

lysbøje
lightbuoy

Hos lægen og tandlægen

Lægen og tandlægen er dine gode venner, for de hjælper dig, så du kan blive ved med at være sund og rask og glad.

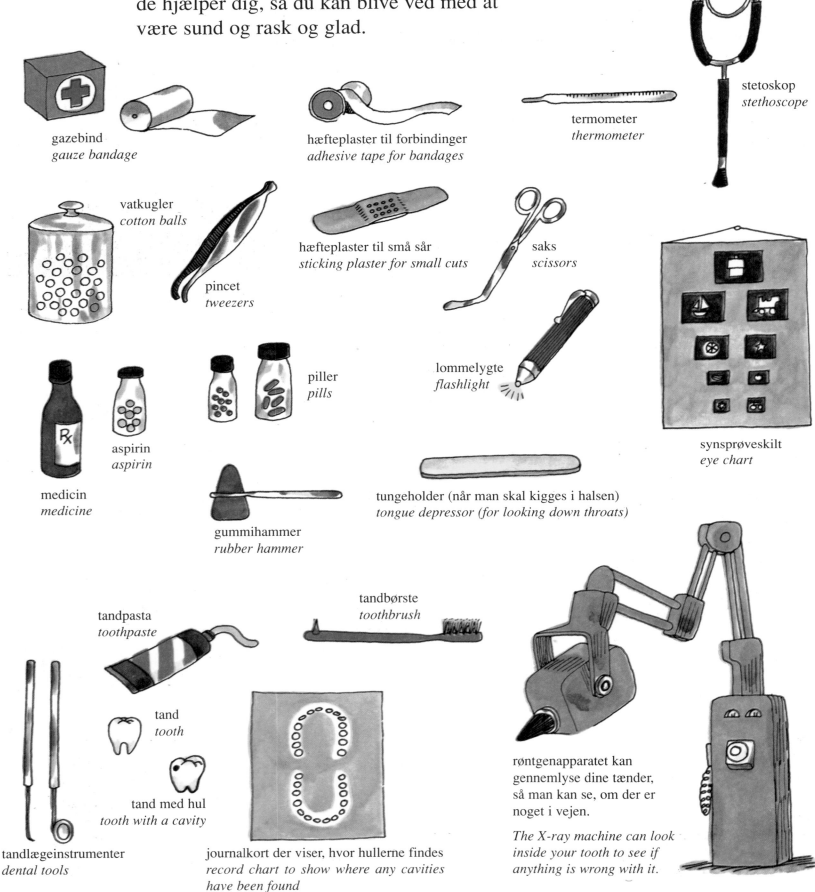

gazebind
gauze bandage

hæfteplaster til forbindinger
adhesive tape for bandages

termometer
thermometer

stetoskop
stethoscope

vatkugler
cotton balls

pincet
tweezers

hæfteplaster til små sår
sticking plaster for small cuts

saks
scissors

lommelygte
flashlight

piller
pills

aspirin
aspirin

medicin
medicine

gummihammer
rubber hammer

tungeholder (når man skal kigges i halsen)
tongue depressor (for looking down throats)

synsprøveskilt
eye chart

tandpasta
toothpaste

tandbørste
toothbrush

tand
tooth

tand med hul
tooth with a cavity

tandlægeinstrumenter
dental tools

journalkort der viser, hvor hullerne findes
record chart to show where any cavities have been found

røntgenapparatet kan gennemlyse dine tænder, så man kan se, om der er noget i vejen.

The X-ray machine can look inside your tooth to see if anything is wrong with it.

20

I lægens konsultationsstue
At the doctor's surgery

sygeplejerske
nurse

reagensglas
test tube

vægt
scales

brækket hale
broken tail

patient
patient

læge
doctor

I tandlægens klinik
At the dentist's surgery

tandlægebor
dental drill

tandlæge
dentist

spytfontæne
mouth-rinse bowl

instrumentbord
instrument table

vandglas
water cup

tandlægeapparatur
dental unit

tandlægestol
dentist's chair

klinikdame
dental nurse

Klinikdamen har ingen huller i tænderne.
Børst dine tænder godt, så du heller ingen får.

Bjørnetvillingerne klæder sig på

Storebror Bjørn vågnede og gabte. Han stod op
og tog sin pyjamas af, men i stedet for
at lægge den sammen smed han den på gulvet.

hjemmesko
slippers

pyjamasjakke
pyjama top

pyjamasbukser
pyjama bottom

Fordi det var så koldt,
tog han alt dette her på:

undertøj
underwear

kasket
cap

skjorte
shirt

bukser
trousers

overall
overalls

slips
tie

sweater
sweater

sokker
socks

ulden hue
woollen cap

halstørklæde
muffler

gummisko
plimsolls

handsker
gloves

trøje
jacket

overfrakke
overcoat

regnfrakke
raincoat

og sydvest
and sou'wester

Idet han gik ud ad døren, sagde hans mor:
»Glem ikke at tage dine støvler på!«

støvler
boots

Den lille Bjørnesøster stod også op.
Hun tog sin fine natkjole af og
lagde den pænt sammen.

natkjole
nightgown

Så klæder hun sig på:

bukser
panties

underkjole
petticoat

hårbånd
hair ribbon

bluse
blouse

nederdel
skirt

forklæde
pinafore

strømper
stockings

sko
shoes

skidragt
snow suit

og vanter
and mittens

Hun lagde sit lommetørklæde
She put her handkerchief

og pung
and purse

i sin håndtaske.
in her handbag.

Idet hun gik ud ad døren, sagde hendes mor:
»Glem ikke at tage dine støvler på!«

23

hjort
deer

løve
lion

elefant
elephant

tiger
tiger

aber
monkeys

panda
panda

isbjørn
polar bear

brun bjørn
brown bear

gorilla
gorilla

bison
buffalo

kamel
camel

giraf
giraffe

zebra
zebra

dyrepasser
zoo keeper

leopard
leopard

søløve
sea lion

børnetog
children's train

næsehorn
rhinoceros

I Zoologisk have

Musefar og Musemor tog alle
deres musebørn med i Zoologisk
have og gav dem hver en ballon.
Hvordan mon de kommer hjem
med alle de balloner?

flodhest
hippopotamus

25

Tallene

Hvor langt kan du tælle?
Kan du tælle til 7 kål-
orme? Hvis nu kålormene
spiser 7 af de 14 blade,
hvor mange er der
så tilbage?

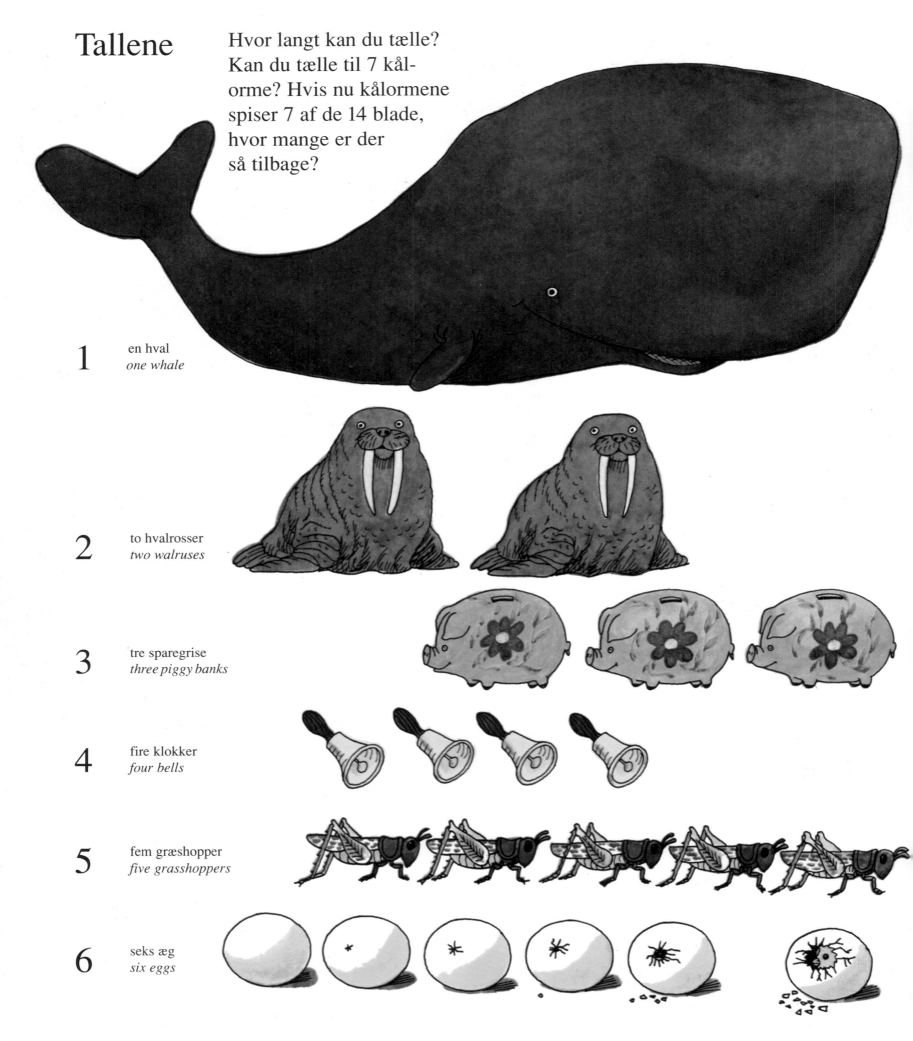

1 en hval
one whale

2 to hvalrosser
two walruses

3 tre sparegrise
three piggy banks

4 fire klokker
four bells

5 fem græshopper
five grasshoppers

6 seks æg
six eggs

7	syv kålorme *seven caterpillars*
8	otte garntrisser *eight reels*
9	ni edderkopper *nine spiders*
10	ti nøgler *ten keys*
11	elleve myrer *eleven ants*
12	tolv ringe *twelve rings*
13	tretten bolsjer *thirteen sweets*
14	fjorten blade *fourteen leaves*
15	femten snefnug *fifteen snowflakes*
16	seksten agern *sixteen acorns*
17	sytten sikkerhedsnåle *seventeen safety pins*
18	atten knapper *eighteen buttons*
19	nitten perler *nineteen beads*
20	tyve mariehøns *twenty ladybirds*

27

Vi spiller musik

Dirigenten leder orkestret med sin taktstok.
Musikerne spiller, når han giver tegn til
dem. Tilsammen kaldes de et orkester.
Hvilket instrument kunne du tænke dig
at lære at spille på?

kontrabas
double bass

fagot
bassoon

cello
cello

obo
oboe

klarinet
clarinet

fløjte
flute

violin
violin

piccolofløjte
piccolo

taktstok
baton

bratsch
viola

dirigent
conductor

flygel
grand piano

podium
podium

noder
notes

pauker
kettle drums

lilletromme
snare drum

stortromme
bass drum

bækken
cymbals

triangel
triangle

saxofon
saxophone

valdhorn
French horn

trompet
trumpet

tuba
tuba

tamburin
tambourine

kornet
cornet

trækbasun
trombone

banjo
banjo

guitar
guitar

harpe
harp

harmonika
accordion

mundharmonika
mouth-organ

redekam
*comb and
tissue paper*

BOG FORLÆGGER

redaktør
editor

KOSTUMER

AVIS REDAKTION

Danseskole

Boghandler

APOTEK

skyskraber
skyscraper

antenne
aerial

kirke
church

trafiklys
traffic light

lejligheder
flats

telefonboks
telephone box

læsehest
book worm

varevogn
delivery van

gade
street

I byen

Musen har lige købt en bog hos boghandleren. Nu er han på vej over efter
en avis. Bagefter går han over til sine to kaninvenner, der sidder og drikker
sodavand. Vis med fingeren den vej han skal gå og husk, at han først skal
se til venstre og så til højre, før han går over gaden.

hotel
hotel

gadeskilt
street sign

park
park

bænk
bench

statue
statue

mandehul
manhole

taxa
taxi

kafé
café

FARE

barber
barber's shop

bybud
delivery man

politibil
police car

TEATER

I DAG SPILLES

TAXA

bus
bus

fortov
pavement

undergrundsnedgang
underground entrance

aviser
newspapers

bladhandler
newsagent

undergrundsstation
underground station

31

radiotårn
radio tower

hav
ocean

ø
island

En tur på landet

Man oplever mange ting, når man kommer ud på landet om sommeren.
Har du lagt mærke til, at bjergbestigeren har tabt noget ud af sin rygsæk?

fabrik
factory

sø
lake

benzintank
petrol station

tunnel
tunnel

benzinpumpe
petrol pump

vejtoldsted
toll gate

motorvej
motor way

gård
farm

bro
bridge

mølle
mill

bæk
brook

å *stream*

vandfald
waterfall

folk på skovtur
picknickers

vigeplads
layby

fyrtårn
lighthouse

bugt
bay

træer
woods

strand
beach

kran
crane

udsigtstårn
lookout tower

vindebro
drawbridge

havn
harbour

bakke
hill

slæbebåd
tug

bjerg
mountain

landsby
village

vindmølle
windmill

flod
river

dam
pond

blokhus
log cabin

bjergbestiger
mountain climber

landevej
road

skov
forest

skrænt
cliff

rygsæk
knapsack

æble
apple

33

I skolen

Man lærer så mange ting i skolen, at læse, skrive, regne og mange andre ting. Lille Bjørn lærer, hvordan man finder en tabt vante.

blyant
pencil

fyldepen
fountain pen

kuglepen
ball-point pe

blyantsspidser
pencil sharpener

kridt
chalk

notesbog
notebook

sugerør
straw

papir
paper

blæk
ink

tavlesvamp
blackboard rubber

mælk
milk

viskelæder
pencil rubber

kiks
biscuits

saks
scissors

sejlgarn
string

garn
yarn

clips
paper clip

klister
paste

skrivebog
exercise book

læsebog
storybook

tegnestifter
drawing pins

modellervoks
modelling clay

glemmeskuffe
lost-clothing drawer

ur
clock

klokke
bell

tavle
blackboard

kalender
calendar

lærer/lærerinde
teacher

JANUAR

		1	2	3	4
5	6	7	8	9	10	11
12	13	14	15	16	17	18
19	20	21	22	23	24	25
26	27	28	29	30	31

landkort
map

blækhus
inkwell

papirkurv
waste-paper basket

landkortstativ
map stand

kunstner
artist

elev
pupil

pult
desk

klasseværelse
classroom

rektor
headmaster

papirklip
paper cut

køleskab
refrigerator

køkkenskab
kitchen cabinet

dørgreb
door knob

dåseåbner
tin opener

sæbe
soap

tepotte
tea pot

stikkontakt
light socket

køkkenbord *kitchen-table*

frostboks
freezer

skraldespand
refuse bin

opvaskemaskine
dish-washer

vaskemaskine
clothes-washer

vasketøjskurv
laundry basket

hjulpisker
egg beater

taburet
stool

målekande
measuring jug

æggeskaller
egg shells

røreskål
mixing bowl

ske
spoon

kagerulle
rolling pin

kageudstikker
biscuit cutter

dej
dough

si
strainer

tragt
funnel

kageform
cake tin

bageplade
baking tray

melbøtte
flour bin

kagespade
cake slice

tomatketchup
tomato ketchup

sukkerskål
sugar bowl

sennepskrukke
mustard pot

kødhakkemaskine
mincer

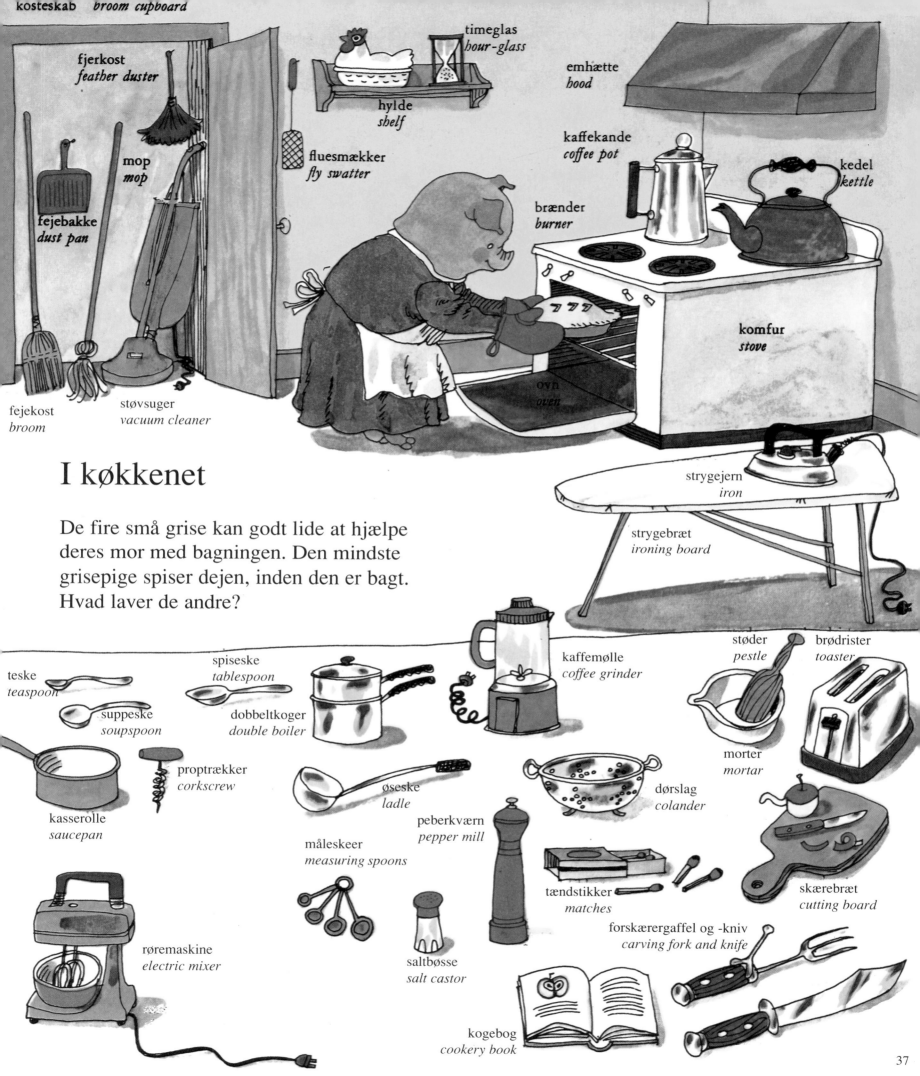

kosteskab *broom cupboard*

fjerkost
feather duster

mop
mop

fejebakke
dust pan

fejekost
broom

støvsuger
vacuum cleaner

timeglas
hour-glass

hylde
shelf

fluesmækker
fly swatter

emhætte
hood

kaffekande
coffee pot

kedel
kettle

brænder
burner

komfur
stove

ovn
oven

strygejern
iron

strygebræt
ironing board

I køkkenet

De fire små grise kan godt lide at hjælpe
deres mor med bagningen. Den mindste
grisepige spiser dejen, inden den er bagt.
Hvad laver de andre?

teske
teaspoon

suppeske
soupspoon

spiseske
tablespoon

dobbeltkoger
double boiler

kaffemølle
coffee grinder

støder
pestle

brødrister
toaster

morter
mortar

proptrækker
corkscrew

kasserolle
saucepan

øseske
ladle

dørslag
colander

peberkværn
pepper mill

skærebræt
cutting board

måleskeer
measuring spoons

tændstikker
matches

røremaskine
electric mixer

saltbøsse
salt castor

forskærergaffel og -kniv
carving fork and knife

kogebog
cookery book

37

Når du bliver stor

Hvad vil du helst være, når du bliver stor?
En god kok?
Eller hellere læge eller sygeplejerske?

maler
painter

glaspuster
glass-blower

sømand
sailor

sygeplejerske
nurse

mælkemand
milkman

landmand
farmer

læge
doctor

tømrer
carpenter

musiker
musician

cowboy
cowboy

slagter
butcher

tandlæge
dentist

sekretær
secretary

kok
cook

sanger/sangerinde
singer

kunstmaler
art painter

pilot
pilot

fisker
fisherman

lastbilchauffør
lorry driver

lærer/lærerinde
teacher

mekaniker
garage mechanic

keramiker
potter

handlende
shopkeeper

bager
baker

bibliotekar
librarian

danser/danserinde
dancer

far
daddy

mor
mummy

Ting vi alle gør

Der er mange ting, vi kan. Og
der er også noget, vi ikke kan.
Prøv at se, om du kan finde ud
af, hvad det er vi ikke kan.

grave
dig

blæse
blow

bygge
build

brække
break

sove
sleep

vågne
wake up

gå
walk

løbe
run

stå
stand

sidde
sit

læse
read

kigge
watch

tegne og skrive
draw and write

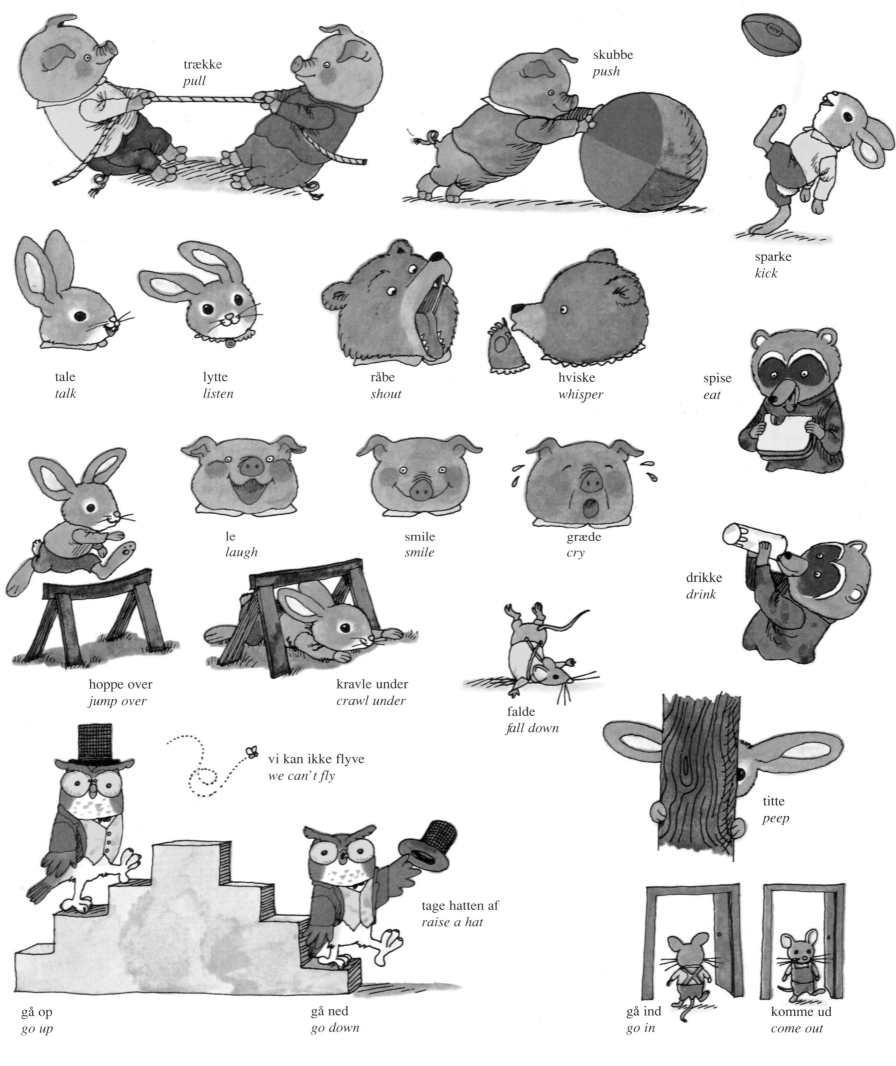

trække
pull

skubbe
push

sparke
kick

tale
talk

lytte
listen

råbe
shout

hviske
whisper

spise
eat

hoppe over
jump over

le
laugh

smile
smile

græde
cry

drikke
drink

kravle under
crawl under

falde
fall down

vi kan ikke flyve
we can't fly

titte
peep

tage hatten af
raise a hat

gå op
go up

gå ned
go down

gå ind
go in

komme ud
come out

Gravemaskiner

Hvor har alle bjørnene dog travlt!
Alle sammen flytter de jord fra det
ene sted til det andet. Undtagen
en, hvad gør han?

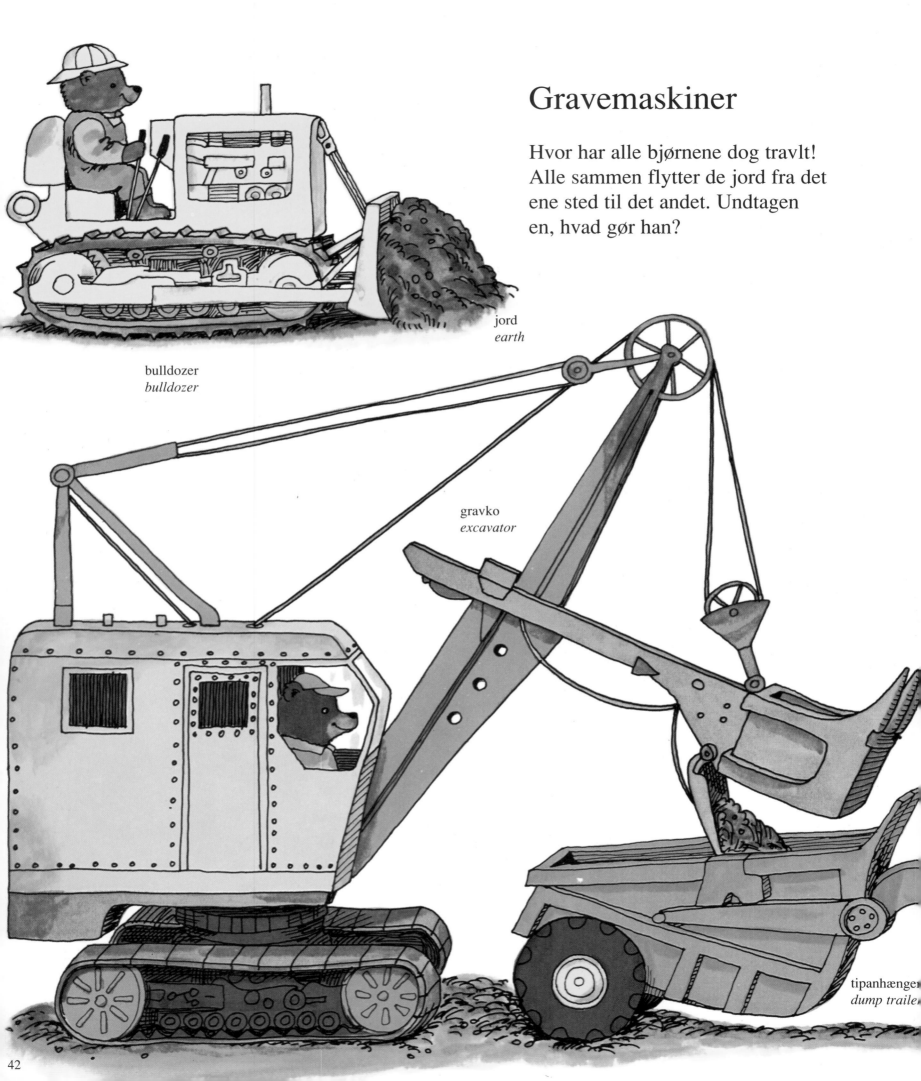

bulldozer
bulldozer

jord
earth

gravko
excavator

tipanhænger
dump trailer

42

planeringsmaskine
(tractor) scraper

lastbil med tippelad
dump truck

frontlæsser
tractor shovel

transportbånd
bucket loader

jord
earth

og traktor
and tractor

vejtromle
roller

ujævn jord
rough earth

tromlet jord
smooth earth

biltransportvogn   *car transporter*

tankbil   *petrol tanker*

varevogn
delivery van

havareret bil
wrecked car

motorcykel
motorcycle

kranvogn
break down lorry

sportsvogn
sports car

taxa
taxi

FLYTNING OVER HELE VERDEN

anhænger   *trailer van*

skraldevogn   *dustcart*

Mange slags biler

På gaden suser bilerne afsted, men nogen af bilerne er der ingen til at styre. Hvad er det for nogen?

bådanhænger   *boat trailer*

stationcar
station wagon

scooter
motor scooter

veteranbil
vintage car

skolebus   *school bus*

I cirkus

Orkesteret spiller, og alle dyrene viser deres kunster. Hvad kan du bedst lide at se i cirkus?

teltstang
tent pole

balancerstang
balancing pole

linekunstner
tightrope performer

teltstang
tent pole

line
tightrope

cirkusrytterske
bareback rider

orkester
band

rebstige
rope ladder

orkestertribune
bandstand

cirkushest
circus horse

dresseret elefant
performing elephant

manege
ring

savsmuld
sawdust

sprechstallmeister
ringmaster

dresseret hund
performing dog

klovn
clown

46

vimpel
pennant

cirkustelt
circus tent

trapez
trapeze

sikkerhedsnet

safety net

trapezkunstner
trapeze artist

luftakrobat
acrobat

billetsælger
ticket seller

løve
lion

tønde-
bånd
hoop

pisk
whip

bur
cage

cage

løvetæmmer
lion tamer

junglør
juggler

esseret søløve
ained sealion

popcornsælger
popcorn man

ballonmand
ballon man

Brandvæsenet kommer

Brandmændene får slukket ilden og redder både manden, der springer ud ad vinduet og damen, der venter på at blive hjulpet ned ad stigen.

redningsvogn
rescue car

politibil
police car

strålerør
nozzle

brandsprøjte
fire-engine

stige
ladder

slange
hose

brandalarm
fire-alarm

chauffør
driver

gummistøvler
rubber boots

hjelm
helmet

førstehjælpskasse
first-aid kit

brandhage
hook

ambulance
ambulance

flammer
flames

røg
smoke

vand
water

brandmajor
*commander of the
fire-brigade*

megafon
megaphone

pumpevogn
pumper

brandhane
fire-hydrant

stige
ladder

stige
ladder

brandmand
fireman

springtæppe
jumping sheet

ildslukker
fire-extinguisher

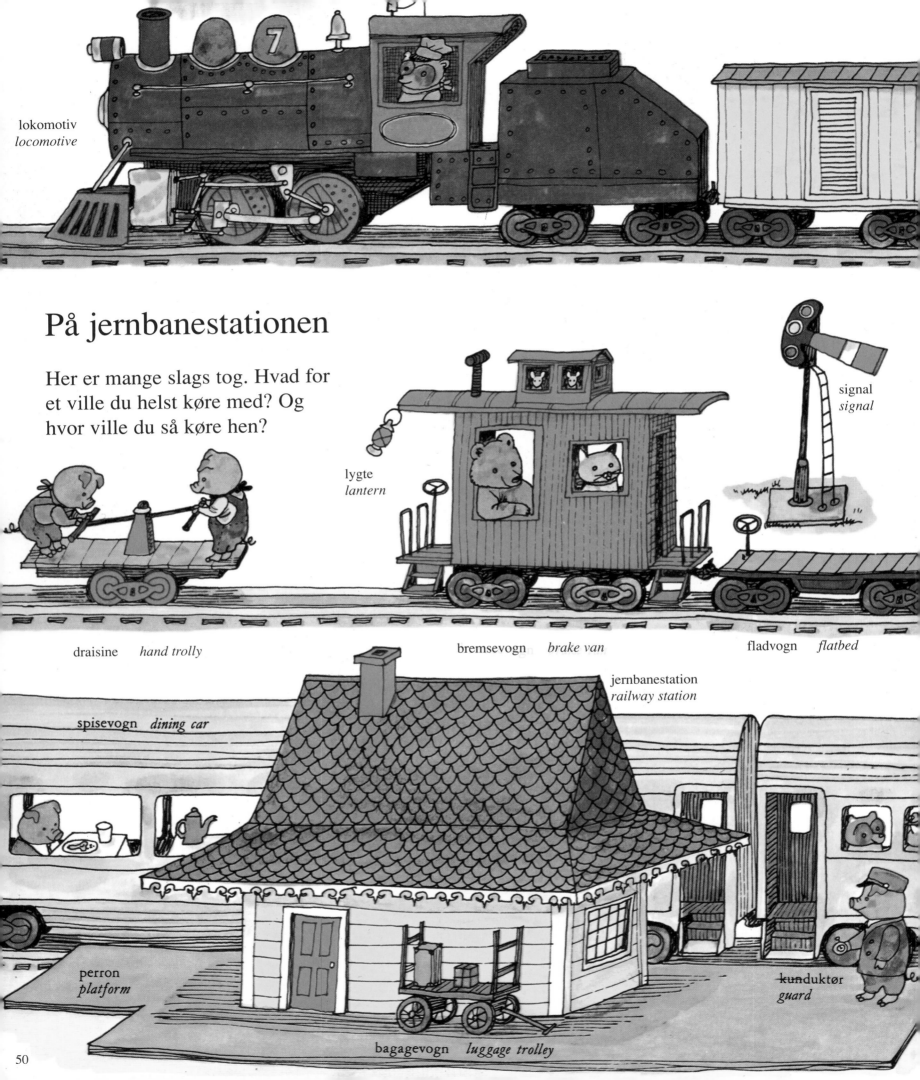

lokomotiv
locomotive

På jernbanestationen

Her er mange slags tog. Hvad for et ville du helst køre med? Og hvor ville du så køre hen?

signal
signal

lygte
lantern

draisine   *hand trolly*

bremsevogn   *brake van*

fladvogn   *flatbed*

jernbanestation
railway station

spisevogn   *dining car*

perron
platform

bagagevogn   *luggage trolley*

konduktør
guard

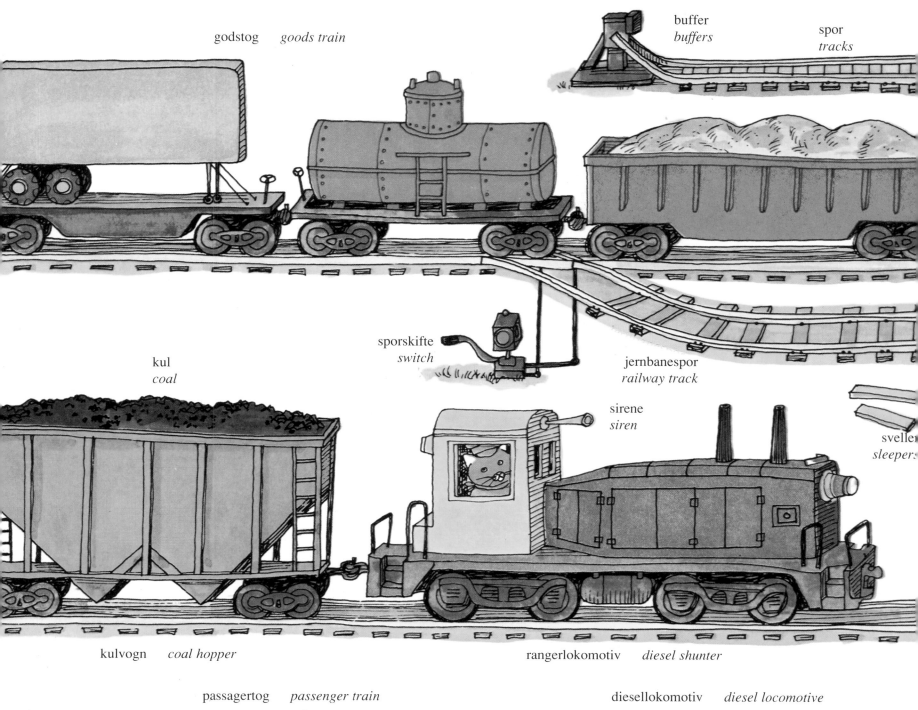

godstog *goods train*

buffer
buffers

spor
tracks

sporskifte
switch

jernbanespor
railway track

kul
coal

sirene
siren

sveller
sleepers

kulvogn *coal hopper*

rangerlokomotiv *diesel shunter*

passagertog *passenger train*

diesellokomotiv *diesel locomotive*

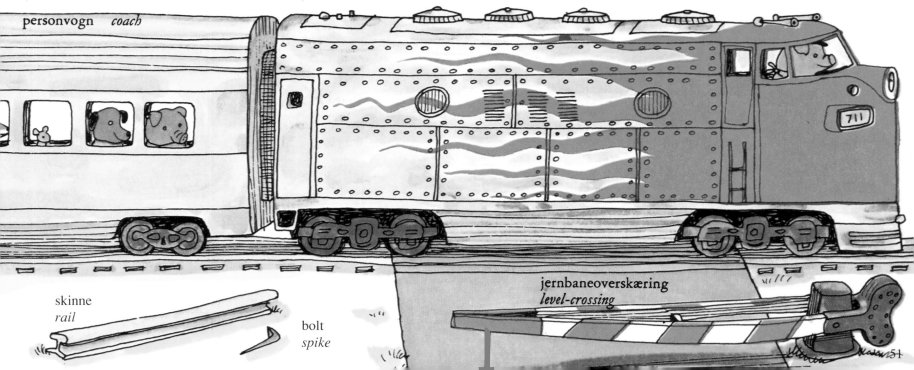

personvogn *coach*

711

skinne
rail

bolt
spike

jernbaneoverskæring
level-crossing

Ved stranden

Om sommeren er det dejligt at tage til stranden. Man kan grave i sandet og gå i vandet, hvis man passer godt på. Hvad er det, den lille kanin hører i konkylien?

kikkert
telescope

fyrtårn
lighthouse

sommerhus
summer cottage

åre
oar

anker
anchor

badedyr
beach toy

skovl
spade

robåd
rowing boat

ryle
sandpiper

sandslot · *sand castle*

bølger
waves

rokke
skate

makrel
mackerel

østers
oyster

musling
clam

hummer
lobster

hajæg
sea purse

kammusling
scallop

eremitkrebs
hermit crab

parasol
sunshade

måge
sea gull

flagstang
flag pole

sol
sun

soltag
shelter

klit
sand dune

gangbro
boardwalk

marehalm
lyme grass

trappe
stairs

livredder
lifeguard

badehus
bathing house

liggestol
beach chair

konkylie
sea shell

sandgryde
sand dugout

sandgryde
sand dugout

søstjerne
starfish

bølger
waves

bølger
waves

reje
prawn

brisling
sprat

dolkhale
horsshoe crab

krabbe
crab

skrubbe
flounder

tang
seaweed

blåmusling
mussel

53

Mange slags huse

Der findes mange forskellige slags huse rundt om i verden.
Hvad for et ville du allerhelst bo i?

snehytte
igloo

stenhus
stone house

pælehytte
stilt house

træhytte
tree house

mudderhytte
mud hut

ørkentelt
desert tent

palmehytte
grass house

træhus   *wooden house*

filttelt   *felt tent*

borg
castle

bindingsværkshus
half-timbered house

stråtækt hus
thatched-roof cottage

lerstenshus med tegltag
adobe house with tile roof

alpehytte
chalet

murstenshus
brick house

etageejendom
block of flats

husbåd
house boat

etplanshus
modern house

55

Småting

Her er en bunke småting. Er der nogle af dem, der kan flyve? Er der nogle, som gror i haven? Er der nogle, der kan spises?

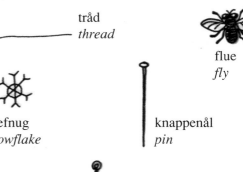
orm
worm

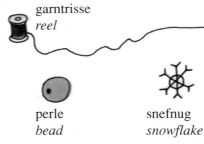
mælkebøttefrø
dandelion seed

knap
button

garntrisse
reel

tråd
thread

flue
fly

myre
ant

vanddråbe
drop af water

mariehøne
ladybird

perle
bead

snefnug
snowflake

knappenål
pin

fingeraftryk
fingerprint

kronblad
petal

myg
mosquito

sommerfugl
butterfly

fiskekrog
fishhook

krumme
crumb

boble
bubble

jordnød
peanut

stift
tack

pen
pen nib

teblad
tea leaf

ært
pea

bolsje
sweet

blåbær
bilberry

kålorm
caterpillar

vingummi
jelly bean

ildflue
firefly

ring
ring

sand
sand

græsstrå
blade af grass

møl
moth

ris
rice

haletudse
tadpole

nøglehul
keyhole

skal
shell

marmorkugle
marble

clips
paper clip

fårekylling
cricket

rosin
raisin

bille
beetle

hindbær
raspberry

fingerbøl
thimble

nålepude
pincushion

eremitkrebs
hermit crab

lille sten
pebble

søhest
sea horse

bi
bee

svamp
mushroom

perle
pearl

blækklat
ink spot

konfetti
confetti

fjer
feather

splint
splinter

bønne
bean

sikkerhedsnål
safety pin

musebaby
baby mouse

plet
dot

far
father

mor
mother

Den lille baby

Kattefamilien har fået en lille ny baby.
De ved ikke, hvad de skal kalde den.
Hvad synes du? Skriv navnet her.

_ _ _ _ _ _ _ _ _ _ _ _ _ _ _

onkel
uncle

bedstemor
grandmother

rangle
rattle

søster
sister

bedstefar
grandfather

baby
baby

tæppe
blanket

kravlegård
playpen

sutteflaske
bottle

bror
brother

tante
aunt

fætter/kusine
cousin

høj stol
high chair

barneseng
cot

klapvogn
pushchair

vugge
cradle

legebord
play table

gangstol
walker

barnevogn
pram

57

Sengetid

Hvem er det, der gemmer sig under sengen? Sig til den uartige lille fyr, at han skal børste sine tænder og skynde sig i seng.

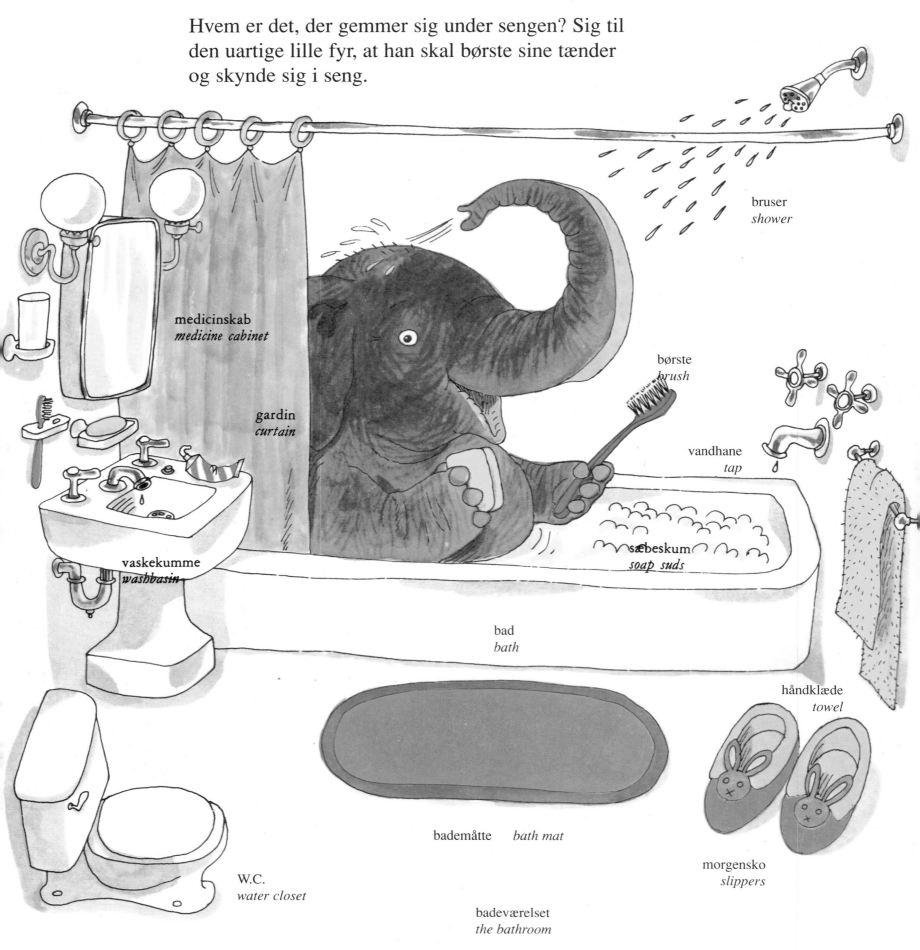

bruser
shower

medicinskab
medicine cabinet

børste
brush

gardin
curtain

vandhane
tap

vaskekumme
washbasin

sæbeskum
soap suds

bad
bath

håndklæde
towel

bademåtte   *bath mat*

W.C.
water closet

morgensko
slippers

badeværelset
the bathroom